Ainsi

Max a la passion du foot

Dominique de Saint Mars

Serge Bloch

TOC!

CALLIGRAM

CHRISTIAN GALLIMARD

Série dirigée par Dominique de Saint Mars

© Calligram 1995
Tous droits réservés pour tous pays
Imprimé en Italie
ISBN : 978-2-88480-676-3

5

Bon, on y va les gars !

Jamais j'y arriverai...

8

9

10

11

Hum, ça va ton travail, Max ?

Très bien !

Oh, papa, je voulais te demander... Si j'ai tout fini, je pourrai regarder la télé, ce soir, exceptionnellement ?

12

13

14

15

17

18

DE RETOUR À LA MAISON...

Dis-moi, les maths, ça va mieux.

Les maths, c'est comme le foot, il faut travailler pour être bon !

Il faut que je perfectionne mon jeu de tête... Après, je serai forcément dans l'équipe !

22

Ici Thierry, qui vous commente le match
Victor Hugo contre La Fontaine...
Pour l'instant, nous comptons 5 éclopés
et aucun but !

AU RETOUR...

On a perdu, mais on a bien joué!

Même!

Même les remplaçants?

Salut, champion !

Ces matchs, c'est épuisant !

MAX ! MAX ! MAX !

L'entraîneur m'a dit de travailler la vitesse, mais que la taille, on ne peut rien y faire...

Oui, profite de ta taille pour te faufiler... Tu grandiras bien assez vite !

Maman, tu peux me presser une orange, j'ai besoin de vitamines pour être plus musclé.

28

31

ET À LA DERNIÈRE MINUTE,
ALORS QUE L'ÉQUIPE EST ÉPUISÉE...

34

Et toi...

Est-ce qu'il t'est arrivé la même histoire qu'à Max?
Réponds aux deux questionnaires...

Pourquoi aimes-tu ça ? Pour être avec des copains ?
Pour te défouler ? Pour gagner des épreuves ?

Préfères-tu les sports individuels ou les sports d'équipe
où l'on partage tout, la gloire comme la défaite ?

Trouves-tu que tu fais assez de sport ?
en dehors de l'école ? à l'école ? en famille ?

Tes parents comprennent-ils ta passion ?
Aimes-tu qu'ils viennent te regarder aux compétitions ?

Aimes-tu le sport pour t'amuser ou surtout pour gagner ?
Considères-tu les sportifs comme des héros ?

As-tu remarqué que le sport est un bon moyen
de se faire des copains et d'être moins timide ?

Voudrais-tu en pratiquer un? Tu ne trouves pas
de club? Manques-tu de temps? Est-ce trop cher?

Est-ce le médecin qui ne te le permet pas?
ou est-ce que ça te fatigue trop?

Te trouves-tu maladroit? As-tu peur de perdre?
Le moniteur est-il trop exigeant?

Te trouves-tu trop petit? ou trop gros? ou bien
tu n'aimes pas te déshabiller devant les autres?

Dans le sport, aimes-tu surtout les habits,
les marques? ou bien es-tu un sportif de télévision?

En dehors du sport, quelles autres activités aimes-tu?

**Après avoir réfléchi
à ces questions
sur le sport,
tu peux en parler
avec tes parents ou tes amis.**

Dans la même collection

1 Lili ne veut pas se coucher
2 Max n'aime pas lire
3 Max est timide
4 Lili se dispute avec son frère
5 Les parents de Zoé divorcent
6 Max n'aime pas l'école
7 Lili est amoureuse
8 Max est fou de jeux vidéo
9 Lili découvre sa Mamie
10 Max va à l'hôpital
11 Lili n'aime que les frites
12 Max raconte des « bobards »
13 Max part en classe verte
14 Lili est fâchée avec sa copine
15 Max a triché
16 Lili a été suivie
17 Max et Lili ont peur
18 Max et Lili ont volé des bonbons
19 Grand-père est mort
20 Lili est désordre
21 Max a la passion du foot
22 Lili veut choisir ses habits
23 Lili veut protéger la nature
24 Max et Koffi sont copains
25 Lili veut un petit chat
26 Les parents de Max et Lili se disputent
27 Nina a été adoptée
28 Max est jaloux
29 Max est maladroit
30 Lili veut de l'argent de poche
31 Max veut se faire des amis
32 Émilie a déménagé
33 Lili ne veut plus aller à la piscine
34 Max se bagarre
35 Max et Lili se sont perdus
36 Jérémy est maltraité

37 Lili se trouve moche
38 Max est racketté
39 Max n'aime pas perdre
40 Max a une amoureuse
41 Lili est malpolie
42 Max et Lili veulent des câlins
43 Le père de Max et Lili est au chômage
44 Alex est handicapé
45 Max est casse-cou
46 Lili regarde trop la télé
47 Max est dans la lune
48 Lili se fait toujours gronder
49 Max adore jouer
50 Max et Lili veulent tout savoir sur les bébés
51 Lucien n'a pas de copains
52 Lili a peur des contrôles
53 Max et Lili veulent tout tout de suite !
54 Max embête les filles
55 Lili va chez la psy
56 Max ne veut pas se laver
57 Lili trouve sa maîtresse méchante
58 Max et Lili sont malades
59 Max fait pipi au lit
60 Lili fait des cauchemars
61 Le cousin de Max et Lili se drogue
62 Max et Lili ne font pas leurs devoirs
63 Max va à la pêche avec son père
64 Marlène grignote tout le temps
65 Lili veut être une star
66 La copine de Lili a une maladie grave
67 Max se fait insulter à la récré
68 La maison de Max et Lili a été cambriolée
69 Lili veut faire une boum
70 Max n'en fait qu'à sa tête
71 Le chien de Max et Lili est mort

72 Simon a deux maisons
73 Max veut être délégué de classe
74 Max et Lili aident les enfants du monde
75 Lili se fait piéger sur Internet
76 Émilie n'aime pas quand sa mère boit trop
77 Max ne respecte rien
78 Max aime les monstres
79 Lili ne veut plus se montrer toute nue
80 Lili part en camp de vacances
81 Max se trouve nul
82 Max et Lili fêtent Noël en famille
83 Lili a un chagrin d'amour
84 Max trouve que c'est pas juste
85 Max et Lili sont fans de marques
86 Max et Lili se posent des questions sur Dieu
87 Max ne pense qu'au zizi
88 Lili fait sa commandante
89 Max décide de faire des efforts
90 Lili a peur de la mort
91 Lili rêve d'être une femme
92 Lili a la passion du cheval
93 Max et Lili veulent éduquer leurs parents
94 Lili veut un téléphone portable

95 Le tonton de Max et Lili est en prison
96 Max veut sauver les animaux
97 Lili est stressée par la rentrée
98 Max et Lili veulent être gentils
99 Lili est harcelée à l'école
100 Max et Lili ont des pouvoirs magiques
101 Max boude
102 Max et Lili font du camping
103 Max et Lili en ont marre de se dépêcher
104 Lili a trop honte
105 Lili invite une copine en vacances
106 Max et Lili veulent être populaires
107 Max et Lili trouvent leur cousin angoissé
108 Max et Lili vont chez Papy et Mamie
109 Max et Lili ont peur des images violentes
110 La copine de Lili n'a pas de papa
111 Max se trouve trop petit
112 Max et Lili cherchent leur métier
113 Max en a marre de sa sœur
114 Max et Lili décident de mieux mange
115 Max et Lili ont du mal à se concentre
116 La copine de Lili est en famille d'accu
117 Max et Lili ont peur de parler en publ

Application Max et Lili
disponible sur

Google play

www.editionscalligram.ch

Suivez notre actualité sur Facebook
https://www.facebook.com/MaxEtLili